Mon abécédaire

n N n N
le nid

o O o O
le lasso

p P p P
la pomme

q Q q Q
le masque

r R r R
l'ara

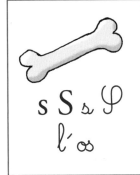

s S s S
l'os

t T t T
les bottes

u U u U
le salut

v V v V
le vélo

w W w W
le wagon

x X x X
le xylophone

y Y y Y
le stylo

z Z z Z
le lézard

Taoki

et compagnie

Méthode de lecture syllabique

Manuel de l'élève

Isabelle CARLIER
Professeur des écoles

Angélique LE VAN GONG
Professeur des écoles

Avant-propos

Une méthode de lecture syllabique

L'apprentissage de la lecture est une étape essentielle de la vie : on n'apprend à lire qu'une seule fois. C'est pourquoi nous proposons pour les enfants de l'école primaire une méthode de lecture syllabique, *Taoki et compagnie*, soucieuse de faciliter l'apprentissage de la lecture de tous. Les élèves vont suivre les aventures de trois personnages attachants et drôles (le dragon Taoki et deux enfants d'aujourd'hui, Lili et Hugo) à travers des textes construits en fonction de la progression de l'apprentissage du code.

Une partie Apprentissage du code

La découverte du son

Chaque leçon du manuel est construite autour d'un son.

Elle débute par une grande illustration mettant en scène les trois personnages. La richesse de cette illustration permet de travailler l'expression orale, un vocabulaire thématique et d'émettre des hypothèses sur le scénario de l'histoire. Elle favorise également l'apprentissage du son étudié par la recherche sur l'illustration de mots contenant le son.

Vient ensuite un exercice de discrimination auditive systématique à travers des vignettes représentant des mots contenant ou pas le son étudié.

De la graphie à la syllabe, au mot et à la phrase

Après cette découverte du son, les élèves découvrent sa graphie, puis associent des lettres pour former des syllabes. Le travail d'association se poursuit par le déchiffrage de mots, puis de phrases. Les élèves progressent ainsi systématiquement dans chaque leçon de la syllabe au mot, puis du mot à la phrase. Tous les mots des leçons sont lisibles par les élèves, en fonction de leur avancée dans l'apprentissage du code. Seuls des mots outils sont introduits pour enrichir les constructions des phrases.

Tout au long du manuel, conformément aux Programmes de 2008, une notion d'étude de la langue est régulièrement abordée pour consolider et structurer les apprentissages.

Des histoires pour donner du sens à la lecture

Chaque leçon se conclut par la lecture d'un texte et par un travail de compréhension. C'est le rôle de la rubrique « Lis l'histoire de Taoki » : ce texte reflète et complète l'illustration de départ et raconte les aventures de Taoki, Lili et Hugo. La lecture prend alors tout son sens. Pas à pas, l'élève enrichit son capital de mots et est guidé vers une lecture de plus en plus autonome : les textes des histoires s'allongent et s'enrichissent en vocabulaire nouveau.

Les thèmes abordés appartiennent aussi bien au quotidien des élèves (la maison, l'école) qu'à des espaces plus lointains (les voyages, les châteaux forts). Ils vont permettre aux élèves de développer leur imaginaire, d'enrichir leur vocabulaire dans un champ lexical précis et d'établir des passerelles avec les autres disciplines et les autres cultures.

Une partie Lecture

Pour que les élèves puissent expérimenter leurs compétences de jeunes lecteurs, accéder à une première culture commune et aborder des types d'écrits différents, des extraits d'albums de littérature de jeunesse, de bande dessinée, de théâtre, une œuvre complète ainsi que des documentaires sont proposés. Certains albums sont issus de la liste du ministère de l'Éducation nationale pour le cycle 2. Afin que l'élève puisse lire sans difficulté et être dans une logique de réussite face à la lecture, nous proposons un ordre de lecture de ces textes en fonction de la progression de l'apprentissage du code.

Nous avons eu à cœur de rendre la lecture accessible à tous pour qu'elle devienne un plaisir.

Les auteurs

ISBN : 978-2-01-116552-7

© Hachette Livre 2010, 43 quai de Grenelle, 75905 Paris Cedex 15.

Sommaire

Apprentissage
du code

a A a A   À la bibliothèque (1)

le sac

Dis si tu entends a .

Lis.

- a A a A

- a   A

8

i I i I
y Y y Y

le livre

le stylo

Dis si tu entends **i**.

Lis.

- i a A y I y A a Y i
- y a i a i A i Y a I

l'ara

Dis si tu entends r.

Lis.

- r i a y A r a R Y r I R
- r A i R i y a R Y Y a r

Lis les syllabes.

r a	⟶	ra		r a	⟶	ra
r i	⟶	ri		r i	⟶	ri
r y	⟶	ry		r y	⟶	ry
a r	⟶	ar		a r	⟶	ar
i r	⟶	ir		i r	⟶	ir

- ra ry ri ra ra ry ra ri ar ir ar
- ri ra ry ra ry ar ra ry ri ar ir

Lis les mots.

- **un** rat   **un** ara   **un** art   **un** riz

Lis les phrases.

- **Un** rat a ri.
- Hugo rit.
- **Il** ira.

- **Il y a un** rat.
- **Il** rit.

Lis l'histoire de Taoki.

Il y a Taoki.

Il y a un ara.

Il rit.

mots outils
il y a
un
il

le lit

ma famille

Dis si tu entends ①.

Lis.

- l r A R y L i a Y I l a L
- l i l L r I a y l A r Y l

Lis les syllabes.

l a ⟶ la | l a ⟶ la
l i ⟶ li | l i ⟶ li
l y ⟶ ly | l y ⟶ ly
a l ⟶ al | a l ⟶ al
i l ⟶ il | i l ⟶ il

- li   la   la   li   la   li   li   la   il   al   il
- la   ri   li   ra   ir   ly   al   ar   il   li   al

Lis les mots.

- la   il   un lit   un lilas   un rallye

Lis les phrases.

- Un lit **est** là.
- Il lit là.

- Il y a un lilas.
- **Elle** a un ara.

Lis l'histoire de Taoki.

Il y a Taoki. Il lit.
Il y a Lili.
Elle est là. Hugo rit.

mots outils
elle
est

13

o O o O   Les cow-boys et les Indiens

le lasso

Dis si tu entends o.

Lis.

- o A R I o L O i l y a r
- o i l A O r a o R y l o

14

Lis les syllabes.

r o ⟶ ro   r o ⟶ ro
l o ⟶ lo   l o ⟶ lo
o r ⟶ or   o r ⟶ or
o l ⟶ ol   o l ⟶ ol

- lo ro ro lo ro lo lo ro ro or or ol or
- ro or lo ar il ol ri ro al lo li la ro

Lis les mots.

- l'or   un rot   un îlot   allô   Lola   alors

Lis les phrases.

- L'îlot est là.
- Ali a **de** l'or.
- Il est à Orly.

- Allô ! Allô ! **Le** rat est là !
- Lola est **sans** or.
- Lola a **le** lot **de** Lili.

Lis l'histoire de Taoki.

Taoki est là. Il a **de** l'or.

Hugo est **sans** or.

mots outils
le
de
sans

15

Dis si tu entends **é**.

Lis.

- é R É o i é y a L é l r
- é i A r y l é o R a é J

Lis les syllabes.

r é ⟶ ré | r é ⟶ ré
l é ⟶ lé | l é ⟶ lé

- lé ré ré lé lé ré lé ré lé lé ré
- ré ir lé il ré lo ro lé la ré ol

Lis les mots.

- Léo   le ré   olé !   l'orée
- une allée   râlé   lié

Lis les phrases.

- Lili est allée à un rallye.
- Léo est **dans** le lit.
- Alors Lorie a râlé.

- **C'est** Léa !
- **C'est une** allée.
- Il ira **dans** l'allée.

Taoki est **dans une** allée.

Il a un allié, **c'est** Hugo !

mots outils
dans
une
c'est

Révisions

Dis le son voyelle que tu entends.

Dis le son consonne que tu entends au début de chaque mot.

 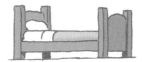 

Lis.

- r A o l Y a i R é L É y O
- *l é R y a O i L é r o A I*

Lis les syllabes.

- ra lé ri or lo ré ir al il ro la ly ar ol
- ri il ol ré ra al lé or ro la li ir lo ar

Lis les mots.

- un allié   Taoki   le lilas   un ara   le rallye
- une allée   Hugo   le rat   lié   Lili   alors

Lis les mots outils.

- c'est   un   elle   est   de   dans
- le   il y a   une   il   sans

Lis l'histoire de Taoki.

C'est Taoki.

Il y a Lili. Il y a Hugo.

Lili a un ara.

Taoki rit : il a un allié ! C'est Hugo.

s S ♭ ℘ Dans la rue

l'os

Dis si tu entends **S**.

Lis.

- s A é s i r o S L y s a
- s o y ℘ é L y i a s l O

Lis les syllabes.

s a → sa		ʂ a → ʂa	
s i → si		ʂ i → ʂi	
s y → sy		ʂ y → ʂy	
s é → sé		ʂ é → ʂé	
s o → so		ʂ o → ʂo	
a s → as		a ʂ → aʂ	
i s → is		i ʂ → iʂ	
o s → os		o ʂ → oʂ	

- sa si so sé as is os sy sa sé so as
- so li il sa si ry la or ly so ré os

Lis les mots.

- un as   un iris   un lasso   le sol
- un lys   assis   salé   lissé   réussir

Lis les phrases.

- Taoki a **aussi** un lasso.
- Sara a réussi le rallye.
- La série est réussie.
- Le sirop est **sur** le sol.

Lis l'histoire de Taoki.

Hugo sort. Il est **sur** le sol.
Lili est là. Taoki **aussi** !

mots outils
sur
aussi

u U u 𝒰 Dans la cour

le salut

Dis si tu entends u.

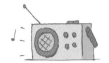

Lis.

- u O A r L Y U é s y I u
- u o é 𝒫 r 𝒰 i a l 𝓡 é u

22

Lis les syllabes.

r u $\longrightarrow$ ru   r u $\longrightarrow$ ru
l u $\longrightarrow$ lu   l u $\longrightarrow$ lu
s u $\longrightarrow$ su   s u $\longrightarrow$ su
u r $\longrightarrow$ ur   u r $\longrightarrow$ ur
u s $\longrightarrow$ us   u s $\longrightarrow$ us
u l $\longrightarrow$ ul   u l $\longrightarrow$ ul

- ul   su   ru   us   lu   ur   su   ul   us   ru
- ré   us   li   ar   su   lo   ul   sa   il   sé

Lis les mots.

- la rue   le salut   une suée   un élu
- une ruée   assuré   salué   rassuré

Lis les phrases.

- Éli est dans la rue.
- Ursula a salué Lili.
- Ali est sûr de lui **mais** il a **des** suées.

mots outils
mais
des

Lis l'histoire de Taoki.

Taoki a sué **mais** il a réussi : il est rassuré.

Lili le salue. Hugo l'a élu : « L'as **des** as » !

fF f F

Des plantes dans la classe

le fil

Dis si tu entends f.

Lis.

- f L a F R o r é f u F s l
- a F l f r y F R é o f u A

24

Lis les syllabes.

f a	$\longrightarrow$	fa
f i	$\longrightarrow$	fi
f o	$\longrightarrow$	fo
f é	$\longrightarrow$	fé
f u	$\longrightarrow$	fu
i f	$\longrightarrow$	if

- fa   fé   fo   fi   fu   if   fé   fo   fu   fi   fa
- ly   fu   ré   ir   os   sa   fé   if   or   la   fi

Lis les mots.

- une fée   un fils   la folie   le raffût   fort
- une furie   férié   affalé   un fossé

Lis les phrases.

- La fée est affalée sur le sofa.
- Le rat a filé **avec** le far.
- Le fils est **en** folie.

mots outils
avec
en

Taoki s'est lié **avec** le fil. Il est affolé.

Mais il est fort, il s'**en** sort ! C'est la folie !

eE e E À la cantine

le melon

Dis si tu entends e.

Lis.

- e f e r S u o r é e s i E
- e i F f r s L y é E r u a

26

Lis les syllabes.

r e → re | r e → re
l e → le | l e → le
s e → se | s e → se
f e → fe | f e → fe

- le se re fe le se re le se re fe
- le sa if ré or fa se as fe le ir

Lis les mots.

- un refus   sale   une file   relié
- un Russe   le ressort   relire

Lis les phrases.

- Léo fera rire son fils.
- La fée **ne** sera **pas** affolée.
- Les ressorts **sont** sales.
- Il file **à** une allure folle !

Lis l'histoire de Taoki.

Le sol est lisse… **et** Taoki s'affole !

Il salit le sol.

Lili et Hugo **ne sont pas** rassurés.

mots outils
et
ne… pas
sont
à

27

m M m M

Dans l'atelier

la massue

Dis si tu entends m.

Lis.

- m r M s m L o f m E r l
- m l R u a M y m o f J é

Lis les syllabes.

m a	⟶	ma	m a	⟶	ma
m i	⟶	mi	m i	⟶	mi
m y	⟶	my	m y	⟶	my
m o	⟶	mo	m o	⟶	mo
m é	⟶	mé	m é	⟶	mé
m u	⟶	mu	m u	⟶	mu
m e	⟶	me	m e	⟶	me

- mé mu ma mo mu me ma mi mu mi my
- ma mi fa mo lu se ma ri my mu if

Lis les mots.

- le mât le mot la mort la rime l'armure ému
- la malle   la morue   armé   affamé   remué

Lis les phrases.

- La mule fuit la fumée.
- Rémi a filmé **ses** amis.
- Marie murmure un mot à sa mamie.

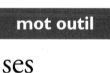

mot outil
ses

Lis l'histoire de Taoki.

Taoki a ramassé un os. Il est à l'affût

avec sa massue… **Ses** amis sont morts de rire !

29

Révisions

Dis le son voyelle que tu entends dans la première syllabe.

Dis le son consonne que tu entends au début de chaque mot.

Lis.

- u S f l i a M e s r m f E
- o M r e F E m u P U f é s

Lis les syllabes.

- fa   ré   me   fi   lu   so   mé   la   ru   fe   mo
- os   fé   ma   ur   se   as   il   is   lu   mi   fu

Lis les mots.

- une massue   réussir   le salut   le murmure
- un os   le fil   un ressort   la folie

Lis les mots outils.

- sur   ses   et   avec   des   sont
- aussi   à   mais   en   ne … pas

Taoki, Lili et Hugo sont dans la rue. Taoki salue Lili.
Taoki est fort : il est "l'as des as" mais il a sué !
Avec le fil, Taoki s'en sort ! Mais Lili et Hugo rient.
Ému et affamé, Taoki s'affole et salit le sol.
Ses amis ne sont pas rassurés.

ch *ch*

la ruche

Dis si tu entends ch.

Lis.

- ch A ch m l Ch é R e s i ch
- ch o F u y L s ch r a ch i

Lis les syllabes.

ch a ——→ cha	cha ——→ cha
ch i ——→ chi	chi ——→ chi
ch y ——→ chy	chy ——→ chy
ch o ——→ cho	cho ——→ cho
ch é ——→ ché	ché ——→ ché
ch u ——→ chu	chu ——→ chu
ch e ——→ che	che ——→ che

- ché chu cha che cho chi chu chi ché chy che
- cho ché la mu ri cha fi cho se me chy

Lis les mots.

- le chat   l'échasse   le chariot   l'arche   le char
- le charme   une marche   séché   arraché

Lis les phrases.

- Sacha est fâché et il râle.
- Le chat a léché la morue.
- Il y a une affiche sur le mur.

Lis l'histoire de Taoki.

Sur la roche, il y a une ruche. Taoki a remué la ruche.
Il est chassé ! Il fuit. Hugo et Lili filent aussi.

n N *n* N

Un nez douloureux

le nid

Dis si tu entends n.

Lis.

- n N N é F n l s m ch n u l
- n ch l m N o t é r n f ʃ

34

Lis les syllabes.

n a → na		n a → na
n i → ni		n i → ni
n y → ny		n y → ny
n o → no		n o → no
n é → né		n é → né
n u → nu		n u → nu
n e → ne		n e → ne

- né nu né no nu ne na no ni na ny
- na lo ré chu nu ny fa mi ne sa no

Lis les mots.

- la farine   le menu   la sonnerie   la machine
- l'année   le renard   le nord   naïf   animé

Lis les phrases.

- La lionne a fini **son** numéro.
- Il est minuit : la Lune est là.

mot outil
son

Lis l'histoire de Taoki.

Taoki est assis et il râle. Il a mal à la narine :
elle est énorme ! Mais Lili le rassure.
Hugo mord dans **son** ananas.

35

è ê è ê

la forêt

la vipère

Attention aux champignons !

Dis si tu entends .

Lis.

- è n è F r ê S é ch ê e
- ê ch é f è m e ê n s è

Lis les syllabes.

r è	→	rè		r ê	→	rê
l è	→	lè		l ê	→	lê
s è	→	sè		s ê	→	sê
f è	→	fè		f ê	→	fê
m è	→	mè		m ê	→	mê
ch è	→	chè		ch ê	→	chê
n è	→	nè		n ê	→	nê

- nè lè mê fê rè mè lê rê chè sè nè
- mè fa chi rè so mu lê ré sè le chê

Lis les mots.

- le chêne   une sirène   un arrêt   fière   chère

Lis les phrases.

- La lumière est allumée dans la salle.
- La mère de Mélanie chemine dans la forêt.

Lis l'histoire de Taoki.

Taoki est avec Lili et Hugo dans la forêt.

Taoki a une manie : il lèche !

Hugo et Lili se fâchent **car** c'est sale !

mot outil
car

37

vVvⱱ Quels sportifs !

le vélo

Dis si tu entends **V**.

Lis.

- v ê v F r v s è ch N V l a
- v ch ê V n M è u R s f v l

Lis les syllabes.

v a ⟶ va | v a ⟶ va | v u ⟶ vu | v u ⟶ vu
v i ⟶ vi | v i ⟶ vi | v e ⟶ ve | v e ⟶ ve
v o ⟶ vo | v o ⟶ vo | v è ⟶ vè | v è ⟶ vè
v é ⟶ vé | v é ⟶ vé | v ê ⟶ vê | v ê ⟶ vê

- vé vu vo vê va vi vu vè ve va vi vo
- ma vè ol vê cha si os vu fé na chi ar

Lis les mots.

- la vie la vis la revue la ville l'avenue le favori
- la savane la salive le rêve varié vive avalé

Lis les phrases.

- La sirène est ravie de sa chevelure.
- Valérie a vu une vache sur l'avenue !

mots outils
les
du

Lis l'histoire de Taoki.

Taoki est à vélo avec Lili et Hugo.

Hugo a vu **les** vaches et il a chaviré **du** vélo !

Il est dans le fossé.

Il se relève et va à la rivière.

Il se lave et se sèche.

Révisions

Dis le son voyelle que tu entends dans la première syllabe.

Dis le son consonne que tu entends au début de chaque mot.

Lis.

- ch f é v n a ê I Y n l s è r
- *N V o ê Ch y l u N i è ch é m*

Lis les syllabes.

- cha né vi fu vu no as chi vê va cho
- vé chu ra chê na ve lo che ché nu vè

Lis les mots.

- un vélo   la vache   la cheminée   la savane
- la forêt une ruche la sonnerie le chêne le nid

Lis les mots outils.

- les   son   car   du   et   est   avec   aussi

Taoki marche dans la forêt avec ses amis. Il s'affole
car il a remué la ruche ! Sa narine est énorme,
mais Lili le rassure. Taoki a aussi une manie :
il lèche ! Lili se fâche car c'est mal.

Les amis sont à vélo dans les allées de la forêt.

Hugo lâche le vélo et s'affale dans le fossé !

Le spectacle de marionnettes

le loup

Dis si tu entends **ou**.

Lis.

- ou m **ch** u **ou** a v l ou s N o
- *ê M ou è ou n P f o v Ou r*

Lis les syllabes.

- vou rou sou mou fou lou chou sou rou vou
- ra lo rou su mi fou vo fu ous se mo

Lis les mots.

- la souris le souvenir le four la mouche la roue
- la fourmi   le chou   la fourrure   la semoule
- un nounours la louche lourd sourd sourire

Lis les phrases.

- Le loup n'est pas un animal roux.
- Louis **s'est** évanoui dans le sous-sol.
- Nous nous sommes assis sur une fourmilière.
- Raoul est fou : il a voulu nourrir un ours !

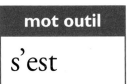

mot outil

s'est

Lis l'histoire de Taoki.

Les amis d'Hugo sont venus.

Ils sont assis avec lui sur le sol de la salle.

Ils sourient car un mini Taoki est à cheval.

Il suit un loup ! L'animal est affamé et farouche !

Mais le mini Taoki est fort.

Ouf ! Le loup a fui !

z Z z Z

Le gâteau d'anniversaire

le lézard

Dis si tu entends **Z**.

 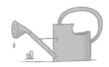

16

Lis.

- z ê **ou** Z r v S é f a z L ch
- ou z è y n m Z l s ch z R f

44

Lis les syllabes.

- za zo zi ze zu zé zè ze zou zi za zè
- zé vo al su if nou le fa al chu rou or

Lis les mots.

- la zizanie   un lézard   une zone   la rizière
- une azalée   l'ozone   le Zaïre   zéro   un zoo

Lis les phrases.

- Zorro est un héros : il a un cheval et un lasso.
- C'est Zoé **qui** a le numéro zéro.
- Marie a mis une azalée sur le mur.

Lis l'histoire de Taoki.

mots outils
que
qui

Les amis sont réunis.

Taoki arrive avec un roulé à l'ananas…

Il allume le numéro 6 !

Hugo est ravi : « Oh, **que** c'est lourd !

C'est un énorme lézard ! Il y a aussi un cheval !

et une vache ! C'est un zoo !

Et **qui** a amené le lama ? »

Que de souvenirs…

pPₚℐ

Taoki
est malade

la pomme

Dis si tu entends P .

Lis.

- p I e N f P J l p ê ou ch
- p a ℐ 𝒱 z M p 𝒰 s p z r

Lis les syllabes.

- pa po pu pe pi pé pè pou po pi pa pê
- fê pu si pou pa me us pè cha ol rou il

Lis les mots.

- le pavé   l'épée   le poème   pollué   la pêche
- le léopard   l'écharpe   appelé   réparé

Lis les phrases.

- La poupée est sur le sol.
- Lors du repas, papa pèle d'énormes pommes.
- Paméla arrive à l'aéroport de Lille.
- Paolo va à l'aéroport.

Lis l'histoire de Taoki.

Taoki est pâle. Il va mal. Il est **au** lit.

Il a mis un pull avec une pomme.

Il sue et de la fumée sort de ses narines.

Il ne lèche **même** pas le repas de Lili !

Le papa d'Hugo arrive.

Il palpe Taoki. Il pousse un soupir…

Il n'a pas d'avis !

mots outils
au
même

47

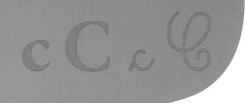

Chez le vétérinaire

le canari

Dis si tu entends C.

Lis.

- c   z   A   ou   r   C   s   p   ch   c   o   l   F
- p   c   v   M   n   ou   C   l   e   ch   f   c   z

48

Lis les syllabes.

- ca cu co cu co ca ac oc cou ca ac cou
- co fi ré cu ca zo ca ac pou co ve pa

Lis les mots.

- le coup   le parc   le cacao   la capuche
- une secousse   chic   connu   coupé   coulé

Lis les phrases.

- Oscar ne copie pas sur Samir.
- Lucas a caché son cheval dans l'écurie.
- Marco finit **tout** son café avec un carré de chocolat.
- Coralie couchera **chez** sa copine Carine.

Lis l'histoire de Taoki.

Hugo et Lili amènent Taoki **chez** Éric.

Éric s'occupe des chats, des caniches et des canaris.

Les 2 amis sont assis sur un canapé :

ils sont **tout** remués !

Mais Éric est venu.

Il les a rassurés : Taoki a une carie.

Ouf ! C'est fini !

mots outils
chez
tout

49

b b B b B

Taoki
est guéri

le bol

Dis si tu entends b **.**

Lis.

- b   r   i   C   p   v   z   B   ch   é   ou   l   M
- b   c   v   u   B   n   o   ch   p   z   V   r   ou

Lis les syllabes.

- ba be bi bè ab bé bou bo ob bê bi bu
- bou pi ol si bê fa che if vou or bu mé

Lis les mots.

- la bassine   la syllabe   le cube   le zébu
- bizarre   des babouches   abîmé   bavard

Lis les phrases.

- La barre à bâbord !
- La biche est immobile au bord du lac.
- C'est bizarre : il y a de la buée sur le bocal.
- Le bébé a marché sur des balles : il a basculé.

Lis l'histoire de Taoki.

mot outil
très

Taoki se lève, il est **très** en forme.

Finie la carie !

Il est le même : coloré et vif !

Lili lui amène un repas au lit : un bol de chocolat,
une banane et des biscuits.

Miam ! Miam ! Hugo, couché dans son sac, se lève.

Il est ravi car Taoki a **très** bonne mine.

Révisions

Dis si tu entends ou au début ou à la fin du mot.

  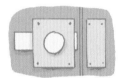 

Dis le son consonne que tu entends au début de chaque mot.

Lis.

- b p a z C ou c P M Ou Z s y
- *e B ou V i ch p z Ou C l b r*

Lis les syllabes.

- fou zé pu ba chou pè zi co pa lou ca me vê
- bu ouf bê po ni cu al zo pe bi cou za pou

Lis les mots.

- une pomme la mouche le bol une fourmilière
- le numéro   le lézard   un canari   une azalée

Lis les mots outils.

- même s'est chez très au qui tout que

Lis l'histoire de Taoki.

Hugo réunit ses amis et c'est réussi !

Il se remémore des souvenirs : Taoki et son roulé

à l'ananas, le loup et le mini Taoki…

Mais Taoki a une carie et il a mal. Hugo et Lili

l'amènent chez Éric, qui s'occupe de lui.

Ils sont rassurés car Taoki est très en forme.

À la piscine

le jus

Dis si tu entends **j**.

Lis.

- j ê j F r J s b f i P Z ch
- j ch i v O z J l c I j r f

Lis les syllabes.

- ja ju je jou ja jé jo jè ji jou ja ji
- je bi ac rè or lou chê vu jou co li zu

Lis les mots.

- un pyjama   jaloux   le journal   une journée
- le jus   juré   jubilé   je   joué

Lis les phrases.

- Julie a de jolis bijoux.
- Je raffole du jus de mûres.
- Ma ville est jumelée avec une ville du Jura.
- Jérémy et Jules **ont** juré de venir.

mots outils
tous
ont

Lis l'histoire de Taoki.

C'est une jolie journée.

Lili, Hugo et Taoki sont venus **tous** les 3.

Ils **ont** amené des bouées.

Taoki joue à la balle avec des amis.

Lili jubile sur le bord : « Vive Taoki ! Hourra ! »

Mais Hugo n'est pas bavard du tout : il est jaloux !

g G g G

Dans la mêlée

Hugo

Dis si tu entends g.

Lis.

- g p **G** b r ou g c j y g l m
- g C v G n z u L s g j c ou

56

Lis les syllabes.

- ga gu go gu gou ga gu go ga gu gou
- gou fi vo ja oc zi al mê us ga chi so

Lis les mots.

- une gare   un gag   le gaz   un légume   la saga
- le regard   une virgule   régulière   rigolé   égal

Lis les phrases.

- Une mygale galope dans la forêt.
- Des mygales galopent dans les allées.

Lis l'histoire de Taoki.

Hugo et Taoki jouent au rugby.

Le score est de zéro à zéro !

Dans la mêlée, il y a une jolie bagarre.

Les arrières se ruent sur la balle. Mais qui va là ?

C'est Hugo ! Il s'échappe et court en zigzag

avec la balle. **Quelle** course !

Taoki vole avec lui et hurle : « Vas-y, Hugo ! » Hugo

file à **toute** allure et amène la balle **entre** les barres.

La coupe est pour lui et ses amis. Ils sont ravis !

d D d D

Taoki au tapis !

le judo

Dis si tu entends d.

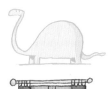

Lis.

- d C ou J b g ch o D v y d
- d a i M f D p G s d b l

Lis les syllabes.

- da di de do dé du dê di do dè dou du
- ca be du mou pé di pê gu da dè ba di

Lis les mots.

- une idée   une dune   madame   une pyramide
- une douche   une radio   ordonné   jardiné

Lis les phrases.

- **J'ai** mis au menu de midi des sardines et une salade.
- Dora, **tu es** douée pour la comédie !
- J'adore le rap depuis des années.

Lis l'histoire de Taoki.

Lili défie Taoki au judo. Taoki n'est pas très rassuré car Lili est rapide et douée.

Elle bascule Taoki, le décolle du sol et le couche sur le dos.

« Ouch ! hurle Taoki. **J'ai** mal au dos.

– Oh ! Je ne suis pas très habile ! dit Lili.

Passe de la pommade là où **tu** as mal.

Tout ira **bien**. **Tu es** solide comme un roc ! »

an an
en en

le volant

les parents

Dis si tu entends **an**.

Dis si tu entends **an** au début ou à la fin.

Lis les syllabes.

- ban ven can dan sen fan ren pen gan men lan
- fi chan os pou il nu sé ma vi be do oc if

Lis les mots.

- un roman une jument dimanche normalement
- une enveloppe une pensée méchant commandé

Lis les phrases.

- Alban est absent : il a mal à une dent.
- Maman m'a enlevé le pansement.

Lis l'histoire de Taoki.

C'est Noël ! Les parents de Lili amènent
les enfants à Paris où vivent papi et mamie.
À l'arrière du véhicule, Taoki bavarde un moment
avec Lili et Noé.
Mais, au bout d'un moment, les enfants s'ennuient.
« On joue aux dames ? demande Noé.
– Bof ! » dit Lili.
Taoki mime alors le chant d'opéra qui passe à la radio.
Les enfants et les parents sourient : qu'il est marrant !

tTt𝒯

Les vitrines de Noël

les bottes

Dis si tu entends **t**.

Lis.

- t   ou   b   T   v   ê   J   ch   t   u   p   Y

- t   𝒞   z   𝒯   m   d   t   f   l   𝒩   t   s

Lis les syllabes.

- ta te ti tê to tu tè tou ut at tan ty ten
- te pi ban co zé ta bi té pen ac ja bu cou

Lis les mots.

- la tête   un stylo   une pâtisserie   la capitale
- un retard un artiste un mystère attentif arrêté

Lis les phrases.

- Il y a une tache de tomate sur la nappe.
- Aminata a chuté sur le tatami.

Lis l'histoire de Taoki.

mots outils
assez
leurs

Pour les fêtes de Noël, les rues de Paris
sont illuminées et décorées. Sur les boulevards,
Taoki, Lili et Noé admirent les devantures animées.
« Oh ! Que c'est joli ! dit Lili. Mais il n'y a pas
assez de vie… » Alors, Taoki murmure des mots
aux figurines, qui s'animent et sortent dans la rue !
Les peluches se lèvent, volent et tapent
dans **leurs** pattes. La locomotive tourne
et étourdit les passants. La féérie est totale.

h H *h H*

Noël
en famille !

la hotte

Lis les mots. Que remarques-tu ?

un hippopotame   des hippopotames

un homme   des hommes

un hibou   des hiboux

un hamac   des hamacs

Quels mots ont un « h aspiré » ? et un « h muet » ?

Lis les mots.

- habile   l'harmonie   un harmonica   du hachis
- humide   huit   de l'huile   honnête   une hyène

Lis les phrases.

- Henri habite là.
- Il habite là.
- Hélène a de l'humour.
- Elle a de l'humour.
- Les enfants hurlent « hourra ! ».
- Ils hurlent « hourra ! ».
- Marie et Samia chantent.
- Elles chantent.

mots outils
cette
près

Lis l'histoire de Taoki.

La nuit de Noël est arrivée ! Ils sont tous très bien
vêtus pour **cette** soirée particulière : jolies robes et
costumes élégants… Même Taoki a sorti son habit
de fête ! L'appartement est décoré de boules et
de couronnes. Il y a aussi du houx et un homard.

« Il est minuit ! dit Lili. Le Père Noël est-il passé
avec sa hotte sur le dos ? »

Tous se rendent **près** de la cheminée. Il est déjà parti,
mais il a pensé à tous. « Vive Noël ! »

Révisions

Dis si tu entends an au début ou à la fin du mot.

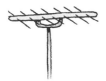   

Dis le son consonne que tu entends au début de chaque mot.

   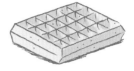

Lis.

- d b t D p j s an G En g ou
- an G d en T ch A ê c j D g

Lis les syllabes.

- do jou ta gou di cha je tu ban ti hou
- sen dé tê ja ga tou lan de oc jo den

Lis les mots.

- une locomotive les parents du jus régulière
- les sardines un volant le judo l'hippopotame

Lis les mots outils.

- quelle tu es assez tous entre ont
- leurs toute cette j'ai bien près

Lis l'histoire de Taoki.

Taoki adore le sport ! Il rend Hugo jaloux avec
sa balle et sa bouée. Mais, au rugby, Hugo est fort
car c'est lui qui amène la balle entre les barres !
Au judo, Taoki a mal au dos ! Finalement, le sport
n'est pas pour lui ! Lili part à Paris pour les fêtes
de Noël. Tout est illuminé dans les rues.
Taoki anime les figurines pour son amie.
Il s'est même vêtu du costume du Père Noël !

br cr dr fr gr pr tr vr

Bonne année !

Dis si tu entends (cr) ou (gr).

Dis si tu entends (br) ou (pr).

Dis si tu entends (dr) ou (tr).

Dis si tu entends (fr) ou (vr).

Lis les syllabes.

- vra   fri   cré   bre   dra   gri   bra   dru   trè   pro
- fre   vou   us   tan   dri   zou   chê   bru   al   men

Lis les mots.

- un crabe   une tribu   un cadre   un livre   des prunes
- une crème   un arbre   un tigre   un abricot   la grève
- un drap   un fruit   triste   propre   ouvrir   triché

Lis les phrases.

- Je préfère les crêpes au sucre.
- C'est un drôle de bruit !
- Il a fredonné « abracadabra ».
- Le crocodile m'a frôlé et il a disparu.

mots outils
décembre tout à coup mon

Lis l'histoire de Taoki.

C'est le 31 **décembre**. Il n'est pas encore minuit.

Noé, Lili et Taoki sont près de la tour.

Tout à coup, les enfants entendent un énorme bruit :

des lumières illuminent la foule et crépitent.

Pan ! Boum ! Vraoum !

« Regarde toutes les lumières ! Que c'est drôle ! crie Lili.

– Bonne année Lili, dit Noé.

– Bonne année **mon** frère chéri. »

Ils lèvent la tête et découvrent Taoki qui vole.

« Oh ! Mais c'est Taoki ! Il salue la foule pour dire

"Bonne année" à son tour. »

bl cl fl gl pl

À l'aéroport

Dis si tu entends cl .

 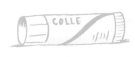

Dis si tu entends fl .

Dis si tu entends bl .

Dis si tu entends gl .

Dis si tu entends pl .

Lis les syllabes.

- pla cle bli flo glu blé fla cli plo gli ble fli glo
- cra zou go tru can je fê té gli cha ho

Lis les mots.

- le climat   une règle   un miracle   un cartable
- la classe   un globe   un bloc   souple   plate

Lis les phrases.

- Je suis à l'abri de la pluie sous le platane.
- Le petit diable est blotti dans un placard.
- La plupart des plumes flottent.

Lis l'histoire de Taoki.

Hugo, Lili et Taoki arrivent à Bafoulabé.

Le Mali a un climat torride : plus de 30 degrés !

Taoki se sent mal. Il dégouline. Il rêve de pluie.

Hamidou et son père attendent les amis près de la piste.

Ils portent de jolis boubous multicolores.

« Salut, Hugo ! Comment vas-tu ?

– Très bien !

Voici Lili, Taoki et **mes** parents.

J'ai hâte de découvrir ta vie **ici**. »

En route pour la savane !

mots outils
voici
mes
ici

71

in in

Taoki danse

le poussin

Dis si tu entends in **.**

Dis si tu entends in **au début ou à la fin.**

Lis les syllabes.

- vin bin rin fin lin nin din min pin sin zin tin
- lin ga tou fe ri lan pen dan vé zin go jou

Lis les mots.

- un marin   un chemin   un individu   un lutin
- un pépin   une épingle   une injure   un instant
- incapable   inconnu   dégringolé   informé

Lis les phrases.

- Justin a préparé un gratin de pâtes au romarin.
- Un matin, un lapin s'est invité dans le jardin.
- La sortie du labyrinthe est introuvable !
- Vingt sapins cachent l'entrée de la mine.

Lis l'histoire de Taoki.

C'est la fin de la journée. La fête débute chez Hamidou.
Tous ses amis et ses parents sont assis sur des coussins.
Les hommes jouent des instruments. Hugo s'est installé
avec un tam-tam à côté d'Hamidou : ils frappent dessus.
Taoki n'est pas intimidé, il insiste pour être parmi
les enfants. Il est inspiré par le rythme. Infatigable,
il suit les tam-tams et danse avec Lili. Au petit matin,
tout le monde va dormir : quelle nuit !

on *on*

Safari
dans la savane

le caméléon

Dis si tu entends on **.**

Dis dans quelle syllabe tu entends on **.**

Lis les syllabes.

- bon don hon pon lon mon non von ton ron son
- fon ban chou don bra mou jo if rê man tri

Lis les mots.

- le menton   une montre   un hérisson   un melon
- bonjour un ongle un cochon un harpon un carton
- du thon   le mouton   confortable   construire

Lis les phrases.

- Le héron chasse les bourdons dans les joncs.
- Lors de la course d'aviron, nous passons sous un pont.
- D'un bond, le dragon monte
  sur le pont-levis et escalade le donjon.

mots outils
pendant que est-ce

Lis l'histoire de Taoki.

Tout le monde est de sortie pour découvrir la savane.
Lili et Hamidou filment les lions et les antilopes,
pendant que Hugo et ses parents se passionnent
pour les babouins… et Taoki ? Où est-il ?
Il s'est échappé du véhicule et vole à la rencontre
d'une drôle de bête. **Est-ce** un lézard ?
Est-ce un scorpion ? Mais non ! Il se colore
et se confond avec le baobab : c'est un caméléon !

am em im om

Une colombe sur la route

Dis les mots, puis observe l'écriture des sons en rouge.

le cochon

le concombre

le fantôme

le tambour

les dents

un tremplin

le lapin

le timbre

Devant quelles lettres les sons , , et s'écrivent-ils am, em, im, om ?

Lis les syllabes.

- lom cham sem tim cam tem pam com lam tam rem
- chou pon ga tan jam if os tin zi fé len

Lis les mots.

- un pamplemousse un rassemblement une tombola
- emmêlé simple embêtant complète enjambé

Lis les phrases.

- La nuit est trop sombre : allume la lampe !
- L'arbitre complimente les champions pour
  leur comportement et **leur** combativité.

mots outils
leur   ce

Lis l'histoire de Taoki.

C'est une journée agréable. Les 3 amis ont emmené
leur copine Samira en balade à vélo. Ils pédalent
sur les chemins, entre les champs et les moulins.
Nos compères profitent de la température
de **ce** dimanche. Tout à coup, Samira s'arrête.
Elle a trouvé une colombe sur le côté du chemin.
« Il me semble qu'elle a mal : elle ne s'envole plus, dit-elle.
Emmenons-la chez Hugo. Sa maman s'en occupera bien. »
Taoki attrape la colombe tendrement dans ses bras
et l'emmitoufle dans son polo.

oi *oi*

Un toit pour la colombe

la boîte

Dis si tu entends oi .

Dis si tu entends oi au début ou à la fin.

Lis les syllabes.

- boi coi doi loi poi moi noi roi soi toi voi
- ran toi gou ton pin zou rin tan poi san doi

Lis les mots.

- une oie   le mois   le choix   le poids   une coiffure
- bonsoir   la mémoire   voir   prévoir   pouvoir

Lis les phrases.

- Il aboie dès qu'il voit une voiture.
- Benoît a-t-il entendu une voix dans le couloir ?
- L'héroïne a déniché un grimoire dans le manoir hanté.

Lis l'histoire de Taoki.

mots outils
contre
quand

La nuit est étoilée.

Taoki s'assoit dans le jardin avec la colombe.

Elle est blottie **contre** sa poitrine. Il la touche du bout

des doigts. La maman d'Hugo lui a mis un petit bout

de bois pour soutenir sa patte : elle ne souffre plus.

Quand elle s'endormira, Taoki la couchera

sur un mouchoir dans une jolie boîte en carton

que Lili a préparée. La colombe est calme et le petit

dragon s'occupe bien d'elle.

Au fond de lui, Taoki est rempli de joie.

Révisions

Dis si tu entends , ou .

Dis la première syllabe de chaque mot.

Lis les syllabes.

- poi cra tru min chon gla vri plè bro glu
- chou man voi hou ar gri oc fê dro noi

Lis les mots.

- la propreté un caméléon un pamplemousse
- confortablement un poussin incapable
- la colombe pouvoir une tombola une boîte

Lis les mots outils.

- pendant que mon ce tout à coup décembre
- leur voici quand mes est-ce ici contre

Lis l'histoire de Taoki.

De retour de Paris, Taoki part en Afrique avec Hugo
et ses parents. Ils vont voir Hamidou au Mali. Le soir,
avec la fête et les tam-tams, Taoki est infatigable !
Le jour se lève et tout le monde part dans la savane
pour voir les lions, les antilopes et les caméléons…
de drôles de bêtes !
De retour du Mali, les amis s'occupent d'une colombe
qui a mal à la patte. Alors, avec un petit bout de bois
et des tonnes de câlins, la colombe se sent rassurée.

br cr dr fr gr pr tr vr + digraphes

Bon vent, petite colombe !

Dis si tu entends tr.

Dis si tu entends cr.

Dis si tu entends gr.

Dis si tu entends fr.

Lis les syllabes.

- fran pren tren grou cran trou crin grin cron fron troi
- croi bron cri fan tê chu zou moi pin vroi dé

Lis les mots.

- un chagrin trois un groupe la proue une bronchite
- une croûte un poivron du goudron franchir grandir

Lis les phrases.

- Mon grand-père prendra un café et un croissant.
- Une troupe de trente hommes franchit le pont.
- Un groupe de touristes visite la brousse.

Lis l'histoire de Taoki.

mots outils
depuis
maintenant
dehors
avant

Depuis trois jours, la colombe va bien. Elle vole dans le salon d'Hugo en roucoulant. « Lili, dit Hugo, je crois qu'elle doit partir pour redevenir libre. Elle est assez forte **maintenant**. Sortons dans le jardin. » Hugo emporte la boîte **dehors** avec lui. Il embrasse la colombe sur la tête **avant** le grand départ. Lili est toute triste : elle se cramponne au bras d'Hugo. Grimpé sur la branche d'un arbre, Taoki regarde la colombe partir en trombe. « Au revoir, petite colombe, … et bon vent ! »

83

Prêts pour les pistes !

Dis si tu entends fl.

Dis si tu entends cl.

Dis si tu entends pl.

Dis si tu entends bl.

Lis les syllabes.

- flan blou clen plou clin glan plin blon cloi blin gloi
- clou pon fê cro fou chan goi jon plu chi dan

Lis les mots.

- un gland la gloire une planche un tremplin blanche
- un emploi une plinthe flou la flambée planté cloué

Lis les phrases.

mots outils
devant
rien

- Blandine est blonde comme les blés.
- Le glouton engloutit la tranche de flan.

Lis l'histoire de Taoki.

Vivement les pistes blanches des Arcs ! Lili, Hugo et
Taoki doivent bien se vêtir et avoir l'indispensable :
les vêtements et le pantalon rembourrés pour ne pas
avoir froid, une écharpe et des gants ! Ils se plantent
devant les miroirs et s'admirent : ils sont les champions
de la mode avant d'être les champions des pistes !
Mais Taoki a un problème : **rien** ne lui va !
Les vêtements ne sont pas prévus pour les dragons…
Il se trouve plutôt ridicule !
Les clients gloussent en se retenant de rire.
Ce n'est pas encore la gloire pour Taoki !

au *au*

Quel saut !

jaune

Lis les mots.

Quelles sont les différentes écritures du son o ?

une autruche

une porte

une épaule

une moto

une corde

un autobus

une pomme

une taupe

Lis les syllabes.

- chau tau sau dau nau gau jau cau pau aus hau
- pen ga loi mon fè ban vo mé al zu tron

Lis les mots.

- un autocollant   le préau   un crapaud   une gaufre
- des chevaux   un astronaute   des animaux   haut

Lis les phrases.

- Aurélie réchauffe le saumon au four.
- « Un fauve se sauve du zoo »,
  titrent **aujourd'hui** les journaux.

mots outils
aujourd'hui ensemble

Lis l'histoire de Taoki.

Aujourd'hui, Hugo et Taoki sont **ensemble** sur les pistes.
Hugo adore les bosses. Il dévale la pente très vite et saute
dans tous les sens. Puis c'est le tour de Taoki.
Il se prépare. Il plie bien ses pattes avant le grand saut.
Hop ! Il décolle du sol au-dessus de la bosse. Mais
il retombe comme une crêpe ! Vlan ! C'est la chute !
Il part en roulant le long de la pente sous le regard
ahuri d'Hugo et des autres sportifs. Il égare son bâton
gauche et sa chaussure droite.
Zut alors ! Ce dragon n'est pas le roi de la glisse !

ai ai
ei ei
et et

En route
pour les sommets !

l'aile

13
treize

le bonnet

Lis les mots.

Quelles sont les différentes écritures du son è ?

le zèbre

la crêpe

la reine

le balai

la baleine

le robinet

la forêt

la fontaine

Lis les syllabes.

- lai rei air bai cai sei let pai jet chet tai
- mau det gai fou poi gau plan crou don voi mê

Lis les mots.

- une caisse un poulet la mairie une semaine seize
- une baleine une dizaine un carnet violet souhaité

Lis les phrases.

- Le frère aîné de Claire aime-t-il les madeleines ?
- Aide-moi à défaire mon ourlet, s'il te plaît !

Lis l'histoire de Taoki.

mots outils
vers
jusqu'au

Vers les sommets, les pentes sont raides !
Taoki donne le rythme de la marche :
il est le capitaine. Il plante ses bâtons dans le sol et
grimpe très vite. Tout en haut, la vue est surprenante.
En contrebas, Lili voit des animaux.
« Regarde, dit-elle, ce sont des chamois ! Il y en a bien
treize ! Et là, il y a un couple d'aigles. Mais où nichent-ils ?
– Juste là, répond Hugo, sur la roche. Ils ont dû y faire
leur nid. Tu crois qu'ils ont des petits ? »
Taoki ouvre ses ailes et s'envole **jusqu'au** nid. Il découvre
2 petites têtes pleines de duvet. Quelle veine !

er _er_ ez _ez_

Il était une fois...

le nez

le panier

Lis les mots.

Quelles sont les différentes écritures du son **é** ?

le caméléon

le palmier

l'étoile

le collier

le nez

le rez-de-chaussée

le tablier

l'épingle

Lis les syllabes.

- ter   lez   der   chez   ber   pez   ver   mez   ler   rez   sez
- rai   jou   lon   pê   my   chan   sen   ni   bau   fei   vez

Lis les mots.

- un boucher   du papier   le nez   un écolier   un bananier
- un goûter   un évier   assez   chez   premier   aller

Lis les phrases.

- Le jardinier va planter trois pruniers.
- L'écolier aime rire avec ses amis.

mots outils
autre
toujours

Lis l'histoire de Taoki.

Le père de Lili a fait une jolie flambée dans la cheminée.
Le salon du chalet est éclairé par les flammes. Avant d'aller
se coucher, Taoki raconte à tous un conte de chez lui.
« Il était une fois un petit dragon surnommé "le petit
chaperon violet" car il portait **toujours** un capuchon
violet. Ce matin-là, il apporta un petit pot de crème
à son grand-père qui habitait de l'**autre** côté d'une forêt
de pommiers et de poiriers. Dans son panier, il transportait
aussi une tarte de chez le pâtissier. Mais, dans
les buissons, une tête avec un nez poilu apparut !… »
Captivés, tous attendent la suite de l'histoire…

Révisions

Dis si tu entends è , é ou o .

Dis la première syllabe de chaque mot.

Lis les syllabes.

- plou rai troi mau glon nez bran sau clai rez
- frez blan gou lin ble ju fau rez dro plan

Lis les mots.

- jaune bronzer le panier embrasser treize le nez
- le crapaud assez la baleine un bonnet l'aile

Lis les mots outils.

- aujourd'hui maintenant vers rien
- dehors jusqu'au ensemble avant
- autre devant toujours depuis

Lis l'histoire de Taoki.

Pour profiter des pistes blanches des Alpes,
tout le monde est allé en altitude dans la ville des Arcs.
Mais il est temps de se préparer ! Après avoir installé
leurs affaires dans le chalet, Hugo, Lili et Taoki
ont enfilé les vêtements indispensables contre le froid.
Qui sera le champion de la glisse ? Bosses, sauts,
chutes… c'est la folie sur les pistes ! Tout est bon
pour une bonne partie de rigolade. Taoki rit
comme un fou. Même pour les promenades
vers les sommets, il est toujours le premier !
Et le soir, près de la cheminée, il raconte des histoires
de chez lui et passionne ses amis.

q q
k k
ch ch

Deux dragons dans la ville

le masque

le kimono

l'orchidée

Lis les mots.

Quelles sont les différentes écritures du son **?**

un moustique

un chronomètre

un cochon

un coq

un kangourou

un judoka

un masque

un koala

Lis les syllabes.

- que quai ka ko qui qua quan qué chro ké ki
- kan co chri gou jan chro can tin ché rak qui

Lis les mots.

- un écho   un requin   le rock   une équipe
- un anorak un kiosque fréquent critiquer risquer

Lis les phrases.

- J'ai décalqué un bouquet de coquelicots.
- Pourquoi ne pas pique-niquer après le cours de ski ?
- Le coq a attaqué la poule : c'est la panique !
- Christina a quitté la chorale de l'école.

mot outil
soudain

Lis l'histoire de Taoki.

En rentrant de l'école, les enfants rencontrent Kim,
une amie d'Hugo. « Venez vite voir le défilé qui fête
le début de l'année du calendrier chinois ! »
À leur arrivée, la petite troupe découvre des hommes
en kimonos qui portent des masques.
La foule admire les chars. **Soudain**, un énorme dragon
se dandine dans la rue. Il suit le son des gongs
et des tambours. Sa danse est entêtante. Les enfants
se laissent entraîner dans les rues du quartier.

De gros yeux
dans la nuit

le feu

le nœud

la peur

le cœur

Dis si tu entends eu **ou** e.

du beurre

le pneu

2

deux

les cheveux

un jongleur

un œuf

une fleur

un nœud

Lis les mots.

- un voleur   la sœur   leur   une œuvre   des euros
- un amoureux   un vœu   l'Europe   bleu   pleurer

Lis les phrases.

- Ma sœur est arrivée jeudi à l'heure du déjeuner.
- « Horreur, malheur ! » s'écrit l'acteur furieux.
- Installe le ventilateur sur le meuble, près de l'ordinateur.
- Qui vole un œuf, vole un bœuf !

mots outils

peu à peu
enfin
mieux

Lis l'histoire de Taoki.

La nuit tombe **peu à peu** pendant la fête.
Les feux éclairent les immeubles et les danseurs
de jolies couleurs. Taoki s'est égaré dans la foule.
Il rencontre d'étonnantes créatures qui lui font peur.
Il a la chair de poule ! Tombant soudain nez à nez
avec deux gros yeux bleus, il s'écrie :
« Au secours ! C'est affreux ! Un monstre ! »
Son cœur se met à battre à toute allure. Pris de panique,
il court dans tous les sens sans se retourner.
Mais il voit **enfin** Lili à deux mètres de lui.
Il est heureux de la retrouver et se sent rassuré.
« Ouf ! On est **mieux** avec ses amis ! »

gu gu
ge ge

À l'assaut des gratte-ciel !

la bague

le pigeon

Lis les mots.

Devant quelles lettres le g fait-il g ? et j ?

la girafe

le gant

le plongeoir

le dragon

le guépard

le pigeon

la guêpe

l'étagère

Lis les syllabes.

- ge gui gy geon gea geai guê gé geu geo gué
- ga jou gué chi gue gan tin goi gi gai oc

Lis les mots.

- une guêpe   une éponge   des nageoires   une guitare
- la gymnastique   fatigué   sauvage   guérir   protéger

Lis les phrases.

- Les pirogues ne sont pas arrivées sur la plage.
- Ne veux-tu pas pratiquer la plongée sous-marine ?

mot outil
tant

Lis l'histoire de Taoki.

Taoki et les enfants sont à New York, une
grande ville des États-Unis. Les habitants la surnomment
« la Grosse Pomme ». Entourés de pigeons, Lili et Hugo
sont plongés dans leur guide de la ville et cherchent
leur chemin. Ils sont époustouflés par la hauteur
des immeubles qui s'élèvent jusqu'aux nuages…
« Géant ! Colossal ! C'est une ville géniale ! » s'écrie Lili.
Tant d'étages… **Tant** de fenêtres… Taoki n'a pas peur
de l'altitude : il se prend pour un super-héros et se met
à grimper, grimper le long d'une tour… Il dit bonjour
aux gens qui le regardent passer d'un air ahuri.

ain *ain*
ein *ein*
aim *aim*

La statue de la Liberté

la main

le peintre

le daim

Lis les mots.

Quelles sont les différentes écritures du son **in** **?**

le nain

la peinture

le sapin

le poulain

le train

le sous-marin

le daim

l'empreinte

Lis les syllabes.

- main pein rein cain vain gain nain faim rain lain
- crain pli pê sen tain gron pin froi rein fain

Lis les mots.

- le bain le refrain une teinture la faim une plainte
- un daim humain demain plein craindre peindre

Lis les phrases.

- Un essaim de guêpes s'est installé dans le grenier.
- Il donne un coup de frein et glisse sur les grains de sable.

Lis l'histoire de Taoki.

mots outils
le lendemain
celle

Le lendemain matin, les trois copains
partent voir la statue de la Liberté.
C'est l'un des monuments les plus connus au monde.
Elle est située au sud de Manhattan. Lili discute
avec un groupe de touristes. Leur guide est américain.
Il raconte à Lili que la statue est le symbole
des États-Unis. « Lors de mon prochain séjour à Paris,
dit Hugo, j'irai voir sa copie près de la tour Eiffel,
au bord de la Seine. Elle est plus petite que **celle** d'ici,
n'est-ce pas Taoki ? » Debout sur un banc, Taoki imite
la statue, une fausse flamme à la main.

eau *eau*   Quel rodéo !

le chapeau

Lis les mots.

Quelles sont les différentes écritures du son **o** ?

une **au**truche

une **o**tarie

une g**au**fre

un chât**eau**

un mart**eau**

un **au**tobus

une ch**au**ssure

un gât**eau**

Lis les syllabes.

- beau deau veau peau seau teau neau leau meau reau
- main gue heau gea reau queu veau kan gou tein

Lis les mots.

- un château   un traîneau   un bateau   des moineaux
- la peau   des barreaux   beaucoup   nouveau

Lis les phrases.

- Des louveteaux boivent de l'eau dans le ruisseau.
- Un chameau est attaché au poteau près du chapiteau.

Lis l'histoire de Taoki.

mots outils
certains
celui-ci

Nouveau périple pour Taoki et ses amis :
ils partent découvrir l'immensité sauvage
de l'Arizona.

Avec son polo à carreaux, son chapeau et son foulard,
Taoki ressemble aux cavaliers qui gardent les troupeaux.
Jack, le palefrenier du ranch, fait découvrir les chevaux
aux trois copains. Ils sont tous regroupés dans un enclos.
Comme il fait très chaud, **certains** boivent de l'eau
dans des tonneaux. Soudain, Hugo veut jouer au héros
comme dans les films. Il saute sur le dos d'un cheval,
Tornado. **Celui-ci** est surpris : c'est le début du rodéo !

Retour à l'écurie

du foin

Dis si tu entends oin.

Lis les syllabes.

- poin   moin   join   soin   goin   foin   coin   poin   soin
- coin   leu   pein   gan   reau   qua   gue   qui   fli

Lis les mots.

- un point un coin le groin un goinfre l'embonpoint
- un témoin la pointure moins lointain joindre

Lis les phrases.

- Je suis témoin : il a pris un coup de poing.
- Il a relié les points du dessin avec beaucoup de soin.
- Le cochon a retourné tout le foin avec son groin.
- Tom voit au loin la pointe de l'île.

Lis l'histoire de Taoki.

Après le rodéo, Taoki aide Hugo
à s'occuper de Tornado.
Hugo le rafraîchit : il lui passe
de l'eau sur les jambes.

mots outils
pendant ce temps-là

Pendant ce temps-là, Taoki lui brosse le poil
pour qu'il soit doux et propre.
Il prend bien soin de son nouveau copain.
De son côté, Lili fait le tour du ranch avec Jack.
Il lui montre le hangar où sont rangés le foin, l'orge
et l'avoine pour nourrir les chevaux.
De retour aux écuries, Lili retrouve Taoki endormi
dans un coin. Quelle dure journée !

Dis si tu entends eu, in, o ou oin.

**Dis le son consonne que tu entends
au début de chaque mot.**

Lis les syllabes.

- bain pein neau goin peu foin geon quoi peau rein
- gué peu loin vœu ki quai fein gea kan soin

Lis les mots.

- un pigeon le hoquet le feu la main la gymnastique
- un chapeau une orchidée des points une bague
- un nœud un copain un masque le peintre le cœur

Lis les mots outils.

- le lendemain soudain tant mieux certains
- celle enfin peu à peu celui-ci pendant ce temps-là

<u>Lis l'histoire de Taoki.</u>

C'est la fête dans le quartier. La foule est entraînée
par les tambours et les gongs. Le défilé pour la nouvelle
année du calendrier chinois enchante le public.
Avec Kim comme guide, Taoki, Hugo et Lili ont tout
compris à la danse du dragon.
Un nouveau séjour pour les amis : l'Amérique,
ses grandes villes et ses immensités sauvages !
À New York, les enfants ont admiré la statue
de la Liberté et les immeubles vertigineux de « la Grosse
Pomme ». Taoki s'est même pris pour un super-héros
en grimpant le long des murs ! Mais dans le ranch
de Jack, devant Tornado, il fait moins le malin !

S = Z

Arrivée en classe de mer

la valise

Lis les mots. Quels sons fait la lettre s ?

une maison

une trousse

une cuisine

un stop

un pansement

une rose

une tondeuse

une moustache

Lis les syllabes.

- isa iso asi asa osé ise aise ase use ose oise
- isé as foi chro geon onse nez teau ban rou plin

108

Lis les mots.

- la cuisine   une chemise   un oiseau   la télévision
- du raisin   un trésor   un musée   la pelouse   un besoin
- un gymnase   s'amuser   visiter   à l'aise   désolé

Lis les phrases.

- Mon cousin attend-il une livraison de framboises ?
- Est-ce que le lézard a pu échapper à la buse ?

Lis l'histoire de Taoki.

mots outils

déjà
quelques

Maman, Papa,

Nous sommes bien arrivés en classe de nature.
La route était longue, mais le paysage était vraiment
beau ! Nous nous sommes vite installés. Taoki est
avec Hugo et Dong dans une chambre. Moi, je suis
avec Magali et Rose. Nous avons vidé nos valises,
rangé nos affaires dans les casiers... et hop !
tous dehors pour visiter le village. Il y a une église
juste au bord de la falaise : elle est un peu isolée,
mais quelle vue sur la plage ! Ensuite, nous sommes
allés sur le sable pour nous amuser.
Je pense que le séjour va être génial ! Je vous envoie
déjà quelques images.
                    Bisous   Lili

ph ph Croisière marine

le phare

Quelles sont les différentes écritures du son f ?

 l'alphabet

 la flèche

 l'éléphant

 le sifflet

 les fruits

 le téléphone

 une fleur

 une photographie

Lis les syllabes.

- pha   phe   phan   phi   pho   phè   phé   phon   phé   phin
- gain   phi   iso   blon   seau   pein   ka   moin   peu   pho

Lis les mots.

- un nénuphar
- la géographie

un orphelin

une apostrophe

une phrase

catastrophique

Lis les phrases.

- Le pharaon salue la foule qui lui fait un triomphe.
- Rodolphe photographie les fourmis et les phasmes.

Lis l'histoire de Taoki.

mot outil
trop

Coucou maman, coucou papa,

Juste un petit mot pour vous raconter ma journée d'aujourd'hui. Nous sommes partis pour une croisière en bateau. En sortant du port, nous avons longé un phare splendide : avec ses énormes lumières qui tournent, il aide les bateaux à éviter les rochers cachés sous l'eau. Puis, sur plusieurs îlots, nous avons vu des phoques. Je les ai photographiés. Ils sont trop drôles quand ils dorment au bord de l'eau ! Sur le chemin du retour, nous avons fait une rencontre époustouflante : des dauphins suivaient le bateau. C'était magique !

Méga bisous

Hugo

ce ce
ci ci
ç ç

Concours de sculptures de sable !

l'océan

le citron

le garçon

Lis les mots.

Quelles sont les différentes écritures du son S ?

une brosse

des danseurs

un hameçon

une limace

une balançoire

des lacets

des cerises

une sorcière

Devant quelles lettres le c fait-il S ?

Lis les syllabes.

- ci cin ce çon çan cé çoi cen cein ça ci
- çoi pha ce ca poin fen chau cil kan que

Lis les mots.

- le cinéma un bracelet une ceinture des céréales
- une tronçonneuse les leçons ça voici aperçu

Lis les phrases.

- Cyril, le célèbre acrobate du cirque, n'a pas déçu la foule.
- Le médecin a décidé de déplacer Cécile en ambulance.

Lis l'histoire de Taoki.

mot outil
chacun

Papa, Maman,

J'ai bien reçu votre carte qui m'a fait très plaisir.
Ce matin, le maître a organisé un concours
de sculptures de sable. Chacun s'est trouvé un petit
coin et a commencé à creuser, à tasser, à ratisser...
Un garçon a façonné une voiture ; un autre
un château ; moi, j'ai placé des algues sur la tête
de mon lion. Ça lui faisait une crinière assez spéciale !
Taoki s'était isolé pour nous faire une surprise :
il a sculpté un sublime drakkar viking !
Nous rentrons dans deux jours.

À très vite. Lili

e = è

La pêche à pied

la mer

Lis les mots.

Quelle lettre fait le son **?**

la poussette

la crêpe

une chèvre

un serveur

la baleine

la poubelle

la forêt

la fourchette

Devant quelles lettres le e fait-il **?**

Lis les syllabes.

- vette   rette   mette   erre   quette   nelle   gette
- erre   çon   phan   cou   lette   moi   jeu   toin   fê   geoi   rei

Lis les mots.

- mademoiselle   une chienne   un cercle   une serviette
- des pierres   des escaliers   la maîtresse   paresseux

Lis les phrases.

- À quelle adresse doit-on livrer ces cagettes de noisettes ?
- Étienne nous espionne sans cesse avec ses jumelles.

Lis l'histoire de Taoki.

Maman chérie, Papa adoré,
Ce matin, nous sommes partis à la pêche à pied
à marée basse. Armés de seaux et d'épuisettes,
nous avons cherché dans les rochers des bigorneaux,
des bulots... et même des crevettes. Lili a observé
les traces laissées par un ver de sable. Super rigolo !
Moi, j'ai glissé sur les algues vertes. Je me suis fait
un sacré bleu au genou ! Casquette sur la tête, Taoki
a mis sa main entre deux rochers pour attraper,
pensait-il, une étoile de mer. Hélas, c'était un crabe !
Il s'est fait pincer la patte ! Pauvre Taoki !
        Je vous embrasse.   Hugo

gn gn

Un heureux événement

le peignoir

Dans chaque couple, dis dans quel mot tu entends gn**.**

Lis les syllabes.

- gne   gnon   gna   gni   gnan   gné   gnette   gnu   gni   gnè
- poin   troi   gno   delle   ci   phon   pain   ça   gne   fer

Lis les mots.

- une châtaigne   la montagne   une araignée   un cygne
- un champignon   soigneux   magnifique   grogner

Lis les phrases.

- Alignez-vous… À mon signal, prêts ? Partez !
- Aïe ! Je me suis cognée dans la poignée de la porte !

Lis l'histoire de Taoki.

Quelques jours **après** le retour d'Hugo
de classe de mer, sa maman est partie
en trombe à la maternité, accompagnée
de son mari, pour accoucher.

mots outils
après
tellement

Le lendemain matin, Hugo apprend que sa petite sœur
est née : elle s'appelle Agnès.
Fou de joie, il trépigne d'énervement.
Il a trop envie d'aller la voir et Taoki se ronge les pattes.
Les grands-parents les emmènent voir le bébé.
« Oh ! Qu'elle est mignonne ! Elle est **tellement** petite ! »
Avec son pyjama rose et ses petites boucles blondes,
on dirait un ange ! À son poignet, le nourrisson porte
un bracelet avec son prénom et sa date de naissance.
Agnès dort paisiblement et pousse un petit grognement.
Hugo et Taoki craignent de la déranger et s'éloignent
sur la pointe des pieds.

ill ill
y y

Un bébé à la maison

le gorille

le kayak

Lis les mots.

Quelles sont les différentes écritures du son ill ?

le yaourt	les billes	le crayon	l'aiguille
les béquilles	les yeux	le yo-yo	la chenille

 le yaourt
 les billes
 le crayon
 l'aiguille
 les béquilles
 les yeux
 le yo-yo
 la chenille

118

Lis les syllabes.

- tille   ya   dille   mille   yo   you   ya   pille   you   yeu
- delle   you   gne   pille   çon   gea   gui   yo   moin   tille

Lis les mots.

- le nettoyage   un pavillon   un voyageur   une coquille
- des myrtilles   le grillage   une cédille   gaspiller

Lis les phrases.

- Bertille a failli s'ébouillanter avec le lait à la vanille.
- Camille s'est maquillé les yeux avec un crayon.

Lis l'histoire de Taoki.

Agnès et sa maman sont sorties de la maternité
et sont de retour à la maison. « Youpi !

mot outil
comment

Ma petite sœur est là ! s'écrie bruyamment Hugo.

Maman, laisse-moi la prendre dans mes bras ! »

Mais la fillette se met à crier et à pleurer.

« Tu devrais lui donner le biberon, dit sa maman.

Ça la calmera peut-être. »

Mais Hugo ne sait pas **comment** attraper cette petite
chenille qui ne cesse de se tortiller.

« Tiens-lui bien la tête et installe-la confortablement
dans tes bras », dit maman.

Agnès mordille la tétine et écarquille ses grands yeux bleus.

C'est sûr, Hugo va l'adorer cette petite sœur !

Révisions

Dis si tu entends **è** , **z** , **gn** **ou** **ill** .

**Dis le son consonne que tu entends
au début de chaque mot.**

Lis les syllabes.

- ase   pho   ise   phi   çon   ci   gneau   bille   yon
- gon   han   pha   zi   ce   ose   qui   gnan   crou

Lis les mots.

- l'océan   la valise   la maison   le peignoir   le kayak
- le garçon   le phare   le gorille   le citron   la mer

Lis les mots outils.

- quelques   trop   tellement   déjà   après   chacun   comment

Lis l'histoire de Taoki.

La classe de nature est idéale pour découvrir de nouveaux
paysages. Cette année, le maître amène ses élèves à la mer.
Hugo et Lili sont ravis.

Ils écrivent régulièrement à leurs parents pour raconter
leurs aventures : les promenades le long de la falaise,
la pêche à pied à marée basse, la croisière avec les phoques
et les dauphins et même le concours de sculptures de sable
sur la plage !

À leur retour, une grande nouvelle les attend : la petite
sœur d'Hugo va bientôt naître.

Hugo se précipite à la maternité pour l'admirer !

Comme c'est mignon un bébé et comme c'est fragile !

Il faut beaucoup s'en occuper : lui donner à manger,
le prendre dans ses bras…

Hugo, sous le regard de sa maman, installe Agnès
confortablement et lui donne le biberon.

ail *ail*
eil *eil*
aill *aill*
eill *eill*

À l'assaut du château fort !

le soleil

l'éventail

l'abeille

la muraille

Quelles sont les écritures du son ail **? et du son** eil **?**

l'orteil

le portail

une oreille

une écaille

un réveil

la paille

une bouteille

un épouvantail

Comment s'écrivent les noms masculins ?
et les noms féminins ?

Lis les mots.

- de l'émail   un conseil   un gouvernail   de l'ail   pareil
- une groseille   un embouteillage   travailler   conseiller

Lis les phrases.

- Sans le réveil, je serais toujours dans un profond sommeil.
- Une grosse corneille a volé un fromage : quelle canaille !

Lis l'histoire de Taoki.

mots outils
plus
aucun

Le soleil est resplendissant : le temps idéal
pour visiter un château fort. Les enfants
ont mis des déguisements médiévaux : Lili est en princesse,
Hugo porte l'attirail du chevalier avec l'épée et le bouclier,
et Taoki la cotte de maille et le heaume.
Hugo et Taoki partent à l'assaut du château fort pour libérer
une belle princesse. Sur son fidèle destrier, brandissant
une épée, Taoki vole vers le pont-levis.
Il fait la course avec une abeille **plus** rapide que lui.
À l'arrière, le père d'Hugo photographie tout ce qu'il voit
avec son appareil : le vieil édifice, une corneille perchée
sur un arbre et la course folle des enfants.
Il ne veut perdre **aucun** détail !
La maman d'Hugo pousse lentement le landau.
Le bébé dort d'un sommeil profond. Rien ne semble
pouvoir l'éveiller, pas même le bruit de la bataille.

euil *euil*
euill *euill*
ouill *ouill*

Le tournoi

l'écureuil

la feuille

la grenouille

Quelles sont les écritures du son euil **? et du son** ouil **?**

le fenouil

la citrouille

la feuille

les chatouilles

la grenouille

l'œil

la bouilloire

le fauteuil

Comment s'écrivent les noms masculins ?
et les noms féminins ?

Lis les mots.

- un portefeuille   du brouillard   la rouille   mouillé
- un deuil   la fripouille   un brouillon   bouillir

Lis les phrases.

- Ouille ! Je me suis brûlée ! La bouillabaisse est bouillante !
- Assis dans son fauteuil, il regarde son feuilleton favori.

Lis l'histoire de Taoki.

Au pied du château, des acteurs, déguisés en chevaliers,
donnent un spectacle de tournoi médiéval.

Hugo et Taoki ont le droit d'y participer !

Ils enfilent leurs cottes de maille, leurs armures…

Taoki a du mal à mettre son heaume : la plume de bouvreuil
lui chatouille le nez ! Mais il se débrouille !

Dans le lointain, une voix annonce la joute de deux chevaliers.

Chacun porte son écu avec ses armoiries : une grenouille
verte pour l'un, un chevreuil pour l'autre.

La joute commence ! Top départ ! Les chevaux démarrent
à toute allure. Chaque cavalier brandit une lance gigantesque !

Puis c'est le choc. BANG ! L'un des acteurs tombe au sol.

Il a perdu la bataille. Puis, c'est au tour d'Hugo et Taoki
de jouter ! Il ne faudra pas s'embrouiller ni cafouiller
devant tout ce public ! Et puis, le prix pour le vainqueur
est un baiser… de la princesse Lili.

ian *ian*
ien *ien*
ieu *ieu*
ion *ion*

Un banquet au château

la viande

le musicien

le milieu

le lampion

Dis si tu entends ian, ien, ieu ou ion.

Lis les mots. Que remarques-tu pour les mots féminins ?

un music**ien** → une music**ienne**   un Ital**ien** → une Ital**ienne**

un l**ion** → une l**ionne**   un champ**ion** → une champ**ionne**

Lis les mots.

- un étudiant   un lieu   une occasion   un mendiant
- la comédienne   une question   une précision

Lis les phrases.

- Le magicien a fait disparaître un chien.
- Ce matin, le magicien a fait disparaître un chien
  dans son jardin.

Lis l'histoire de Taoki.

La journée se termine par un banquet dans la cour
du château. Des tables ont été installées sur des tréteaux.
Tous sont costumés comme au Moyen Âge.
Le lieu est propice à une ambiance joyeuse !
À la lueur des lampions et des torches, les musiciens
et les musiciennes jouent des percussions, des tambourins
et des violes…
Les troubadours entrent en scène pour conter les aventures
de l'ancien temps.
Les amis sont curieux : Taoki s'approche d'un monsieur
habillé en fou et joue avec ses grelots.
Lili compare son costume à celui d'une demoiselle
et Hugo dévore le festin !
Enchantés par la musique, les parents d'Hugo se lèvent
de table et entraînent leurs voisins dans une folle farandole.

En route pour le monde de Taoki !

les habitations

Dis si tu entends si.

le dictionnaire

la tétine

le Martien

le chantier

la potion

le potiron

la station-service

le tigre

Lis les mots.

- une soustraction   la patience   une opération   la solution
- la pollution   des informations   la récréation   additionner

Lis les phrases.

- C'est un panneau d'interdiction de stationner.
- Toutes mes félicitations pour ta compétition d'équitation !

Lis l'histoire de Taoki.

Depuis l'apparition de Taoki dans la bibliothèque au début
de l'année, les journées n'ont pas manqué d'animations :
que d'aventures !

Taoki s'est pris d'affection pour Hugo et Lili, mais il doit
rentrer chez lui pour retrouver sa famille. Il a invité
ses deux amis à passer les grandes vacances dans son monde !
Ainsi, la séparation ne sera pas trop difficile.

Mais il y a une condition pour faire ce voyage :
ils doivent partir par où Taoki est arrivé… par le livre !

Quelle préparation ! Le livre est placé soigneusement par terre.

Tous les trois sont équipés d'un gros sac à dos avec
leurs affaires de vacances. Des larmes de joie et d'émotion
accompagnent les « au revoir » à leurs parents…

Ils sont prêts et impatients !

Taoki tient ses amis par la main, ils sautent à pieds joints
et… un nuage de fumée masque leur disparition !

X x
X x

Au pays
des dragons

l'index

6
six

le xylophone

Lis les mots.

Quel son fait la lettre **x** dans chaque mot ?

un boxeur   six   un saxophone   un xylophone

un extincteur   un taxi   un mixeur   dix

Lis les mots.

- la galaxie   un exemple   un examen   une explication
- une excuse   de l'oxygène   fixer   dixième   le luxe

Lis les phrases.

- Le médecin a examiné les réflexes d'Axel.
- Ce texte raconte les exploits d'un célèbre explorateur.
- Le boxeur relèvera le défi.

mot outil
hors

Lis l'histoire de Taoki.

Le voyage à travers le livre a été instantané :
à peine ont-ils sauté qu'ils sont arrivés dans le monde
de Taoki ! Mais Hugo et Lili sont encore un peu étourdis
par cet exercice **hors** du commun. Et quand ils découvrent
ce nouvel univers, ils n'en croient pas leurs yeux !
Ils ne se doutaient pas qu'un monde aussi extraordinaire
pouvait exister !
D'un côté, beaucoup de choses sont identiques à celles
de la Terre : des familles, des voitures qui klaxonnent…
De l'autre, que d'exotisme ! Des plantes immenses
qui parlent et vous regardent, des enfants dragons
qui font du toboggan sur leurs tiges, d'autres qui jouent
du xylophone sur leurs pétales…
Les grandes vacances ne vont pas être assez longues
pour explorer ce pays fabuleux !

Révisions

Dis si tu entends , , **ou** .

Dis si tu entends , **ou** .

Dis le son consonne que tu entends dans la dernière syllabe.

Lis les mots.

- l'écureuil   un index   six   la grenouille   l'abeille
- une habitation   la muraille   la feuille   le milieu
- le musicien   le lampion   l'éventail   un xylophone

Lis les mots outils.

- plus   aucun   hors

Lis l'histoire de Taoki.

Il suffit d'une journée dans un château fort pour que
nos amis fassent un bond en arrière dans le Moyen Âge.
Équipés de leur attirail médiéval (bouclier, armure
et autre cotte de maille), Hugo et Taoki se prennent
pour des chevaliers. Ils assistent même à un tournoi…
C'est mieux que dans les feuilletons !
Cette journée merveilleuse se termine par un festin
pendant lequel les troubadours et les musiciens
mettent de l'animation.
C'était la dernière aventure avant le départ de Taoki…
mais Hugo et Lili ne vont pas le quitter tout de suite :
ils vont passer les grandes vacances chez lui !
Ils sont très excités par ce voyage à travers le livre.
Le pays des dragons est un monde extraordinaire
et exotique.
C'est sûr, ils rapporteront des tonnes de souvenirs !

Lecture

Qui est le lézard ?

Une bête à sang froid

C'est surtout en été que le lézard court
sur les murs…

Immobile, il profite de la lumière
de l'été.

C'est un reptile, comme les serpents.

Il a 4 pattes, 1 queue, et il a le sang froid !

les pattes

la queue

Un lézard sur un mur.

La recherche de nourriture

Le lézard se nourrit de mouches et d'insectes plus petits. Il chasse surtout la nuit.

Si le lézard est pourchassé par un animal, il se cache dans les murs ou les roches.

Si on lui attrape la queue, elle se détache !

Mais ce n'est pas grave : elle repoussera !

- Décris le lézard.

- À quelle famille d'animaux appartient-il ?

- Que mange-t-il ?

- Que fait-il s'il est pourchassé ?

- Est-ce grave pour un lézard de perdre sa queue ? Pourquoi ?

La grosse faim
de P'tit Bonhomme

C'est le matin.

Dans la ville, il y a une rue.

Dans la rue, il y a une maison.

Dans la maison, il y a une chambre.

Dans la chambre, il y a un lit.

Dans le lit, il y a P'tit Bonhomme
et dans P'tit Bonhomme,
il y a un ventre tout vide.

P'tit Bonhomme sort
de son lit, de son pyjama,
et enfin de sa chambre.
Il rentre dans ses habits
et descend à la cuisine.
Il ouvre le placard : il est vide.
L'armoire ? Elle est vide.
La **huche** ? Elle est vide.

La Grosse Faim de P'tit Bonhomme,
Pierre Delye,
Didier Jeunesse.

● **une huche** :
un coffre
en bois
pour garder
du pain.

● Qui est le héros ?

● Où est-il ?

● Qu'est-ce qui est « vide » ?

● Quel est le problème de P'tit Bonhomme ?

● Invente une suite à l'histoire.

Gruffalo

Une petite souris se promène dans un bois
très sombre. Un renard l'aperçoit
et la trouve bien appétissante.

– Où vas-tu, jolie petite souris ?
Viens, je t'invite à déjeuner
dans **mon humble demeure**.

– Merci infiniment ! Monsieur le Renard,
mais je ne peux accepter. J'ai rendez-vous
avec un gruffalo.

– Un gruffalo ? C'est quoi un gruffalo ?

– Comment, vous ne connaissez pas
le gruffalo ! Il a des crocs impressionnants
et des griffes **acérées**, ses dents sont
plus coupantes que celles d'un requin.

– Où avez-vous rendez-vous ?

– Ici, près des rochers. Et son plat préféré,
c'est le renard à la **cocotte**.

– Le renard à la cocotte, vraiment ? Bon, eh bien, salut, petite souris, dit le renard **en hâte**.

Et il se sauve.

– Pauvre vieux renard, il ne sait donc pas que le gruffalo n'existe pas !

- **mon humble demeure :** ma maison.
- **acérées :** coupantes.
- **une cocotte :** une marmite.
- **en hâte :** très vite.

Gruffalo,
Julia Donaldson,
Autrement
Jeunesse.

- Pourquoi le renard invite-t-il la souris chez lui ?
- Quelle histoire la souris invente-t-elle pour ne pas y aller ?
- Comment sais-tu que le renard croit la souris ?
- Quel personnage est le plus rusé dans cette histoire ? Pourquoi ?

Une, deux, trois souris

Aujourd'hui, il fait beau et les souris jouent
dans la prairie.
Elles prennent bien garde au serpent.
Mais quand elles ont joué, les souris
sont fatiguées.

Alors, elles oublient le serpent… et toutes,
elles font la sieste.

Pendant qu'elles dorment, le serpent
affamé cherche son déjeuner.

En route, il trouve un grand bocal.

« Je vais y mettre mon repas »,
décide-t-il.

Bientôt, il découvre trois souris
endormies, des petites souris **fondantes**
et **savoureuses**.

« D'abord, je les compte, puis
je les mange ! » se dit le serpent.

« en voilà une… » « … deux… »

« … trois. »

Le serpent dépose les souris dans le bocal.

Mais il a très faim. Trois souris, c'est un peu maigre.

Une, deux, trois souris,
Ellen Stoll Walsh,
Mijade Éditions.

fondantes : qui fondent dans la bouche.

savoureuses : très bonnes.

- Que font les souris dans la prairie ?

- Que fait le serpent pendant que les souris dorment ?

- Où le serpent dépose-t-il les souris ? Pourquoi ?

- Pourquoi dit-il « c'est un peu maigre » ?

- Invente une suite à l'histoire.

Niki de Saint-Phalle

Une artiste sculpteur

Niki de Saint-Phalle (1930-2002)
est une artiste française.
À 22 ans, elle rencontre des artistes
et commence à peindre. Mais, très vite,
elle préfère les volumes, et est attirée
par la sculpture. Elle utilise des matériaux
très différents : le plâtre, le plastique,
le métal, le papier mâché…
Et elle met de la couleur partout !

Les *Nanas*

À partir de 1965, elle produit
les *Nanas*, des sculptures
en papier mâché
et en polyester.
Drôles et colorées,
elles semblent légères
comme des ballons.
Les *Nanas* sont
des grandes femmes rondes
et bariolées.

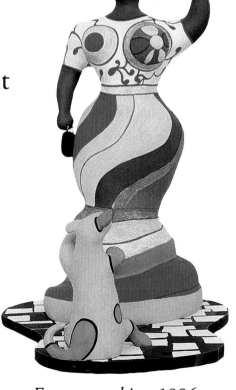

Femme au chien, 1986.

Des sculptures dans les rues

Les *Nanas* mettent de la gaieté dans les musées, mais aussi dans les jardins et les rues

Trois Nanas : Caroline, Charlotte et Sophie, 1974, Hanovre, en Allemagne.

de nombreuses villes du monde. Niki de Saint-Phalle a en effet produit de nombreuses *Nanas* monumentales, mais aussi des fontaines pour décorer Paris, Hanovre…

À Stockholm, en Suède, Niki de Saint-Phalle a construit une *Nana* si grande que l'on peut rentrer dedans ! Elle contient même plusieurs salles, un cinéma et un restaurant !

- Qui est Niki de Saint-Phalle ?
- Pourquoi préfère-t-elle la sculpture à la peinture ?
- Quels matériaux utilise-t-elle pour sculpter ?
- Décris une *Nana* de Niki de Saint-Phalle.
- Pourquoi la *Nana* de Stockholm est-elle originale ?

Renart et Chanteclair

Décor : extérieur de poulailler. Peu à peu,
toute la basse-cour et Tortue arrivent.
Beaucoup de caquètements.
Chanteclair est le coq
de la basse-cour.

Les poules : Chanteclair ! Chanteclair !
Il y a un ennemi dans le poulailler !

Chanteclair : Allons, allons, du calme mes amies !
Je suis là ! Il n'y a pas de danger. Aucune bête ne peut
entrer ici sans que je la voie. Vous avez rêvé…

Les poules : Mais non, Chanteclair, c'est Renart !
Fuyons !

Toutes sortent sauf Chanteclair et, au fond, Tortue.

Chanteclair : Ne courez donc pas comme des folles !

Renart, *s'approchant de lui* : Salut, Chanteclair !

Tortue, *allant vers le fond* : Ouh la la !
Il va y avoir de la bagarre…

Chanteclair : Qu'est-ce que tu fais ici ?

Renart : Ne t'énerve pas. Je viens te dire
gentiment bonjour…

Chanteclair : Heu… Bonjour ! Voilà ! Va-t-en
maintenant !

Renart : Mais n'aie pas peur comme ça…
Tu ne sais pas que tous les animaux doivent faire
la paix ? C'est le lion, notre roi, qui l'a décidé.
À partir d'aujourd'hui, les loups et les agneaux,
les chats et les chiens, les poules, les coqs et moi,
nous devons nous aimer !

Chanteclair : Ah ? Tu es sûr ?

Renart : Absolument !

Tortue : Mais non, ne le crois pas !

« Le Petit Théâtre de Renart »,
in *Des pièces pour marionnettes,
de 6 à 12 ans*,
Évelyne Lecucq, éditions Retz.

- Qui sont les personnages ?

- Comment sais-tu qui parle ?

- Pourquoi toutes les poules s'enfuient-elles ?

- Que veut Renart ?

- Pourquoi Tortue dit-elle à Chanteclair
  « Mais non, ne le crois pas ! » ?

Boucle d'or
et les sept ours nains

- **fourbus :**
  très fatigués.
- **dévalisés :**
  volés.

Boucle d'Or et les sept ours nains,
Émile Bravo, Seuil Jeunesse.

- Que découvrent les sept ours nains quand ils rentrent chez eux ?

- Que trouvent-ils dans la chambre ?

- Que décident-ils de faire ?

- À quels contes cette bande dessinée te fait-elle penser ?

Les trois grains de riz

Ce matin, Petite Sœur Li a mis sur son dos un sac
de toile brune. Dans ce sac se tiennent
bien serrés tous les grains de riz que ses parents
ont récolté **précieusement** dans la plaine
à côté du grand fleuve.
Et Petite Sœur Li est partie
en courant, pour vendre ce riz
au marché.
Petite Sœur Li court, court…

● **précieusement** :
en faisant
attention.

la bonté :
la gentillesse.

Mais soudain, un canard sauvage
se pose devant elle :
– Petite Sœur Li, Petite Sœur Li,
donne-moi du riz ! Moi, avec le riz,
j'efface les ennuis !

Petite Sœur Li ne doit pas gaspiller ce riz,
elle doit le vendre car ses parents ont besoin
d'argent. Mais elle trouve extraordinaire
qu'un canard soit capable de tant de **bonté** !
Alors elle ouvre doucement le sac de toile
brune, et c'est avec plaisir qu'elle offre
une petite poignée de riz à un canard si gentil.

Et le canard s'envole en lui disant merci.

À l'entrée de la forêt de bambous,
Petite Sœur Li court toujours quand, soudain,
un panda se présente devant elle :
– Petite Sœur Li, Petite Sœur Li, donne-moi
du riz ! Moi, avec le riz, je combats
les méchants.

Petite Sœur Li trouve formidable qu'un panda
soit capable de tant de courage ! Alors elle ouvre
une nouvelle fois le sac de toile, et c'est avec
joie qu'elle offre une petite poignée de riz
à un panda si courageux.

Et le panda se sauve en lui disant merci.

il interpelle :
il appelle.

doué : adroit,
habile.

Petite Sœur Li court au milieu
des bambous, quand un singe
l'**interpelle** :
– Petite Sœur Li, Petite Sœur Li,
donne-moi du riz ! Moi, avec le riz,
je fabrique des trésors.

Petite Sœur Li trouve formidable qu'un singe
soit si **doué**. Alors elle ouvre une nouvelle fois
le sac de toile, et c'est avec admiration
qu'elle offre une petite poignée de riz
à un singe aussi adroit.
Et le singe se sauve en lui disant merci.

Les Trois Grains de riz,
Agnès Bertron-Martin,
Père Castor Flammarion.

● Comment s'appelle la petite fille ?

● Que doit-elle faire de son sac de riz ?

● Quels animaux rencontre-t-elle ?

● Pourquoi leur donne-t-elle du riz ?

Crapaud

Voici l'histoire d'un crapaud monstrueux,
un crapaud boueux, un crapaud **visqueux**,
un crapaud gluant, collant, poisseux,
un crapaud puant, pestilentiel
et nauséabond, empestant
la vase fétide.

Il est couvert de verrues, de pustules,
tout tacheté de **mouchetis**, de saletés.
De tous les pores de sa peau suinte
un poison infect et venimeux.

- **visqueux** : gluant et collant.
- **des mouchetis** : des petites tâches.

Le crapaud monstrueux, vorace et **insatiable**,
est un mâchonneur de mouches, un croqueur
de **coléoptères**, un avaleur de vers de terre.

Il est malhabile et balourd, étourdi et lent ;
il ne voit pas à trois pas.

Il se dandine lourdement et, clignant des yeux
et battant des paupières, tombe la tête
la première dans la gueule d'un monstre !

« Beurk ! » rugit le monstre
en recrachant le crapaud,
le crapaud soulagé, ravi,
le crapaud sain et sauf,
finalement très heureux,
le crapaud qui sourit
d'un sourire monstrueux.

Crapaud,
Ruth Brown,
traduit par Anne Krief,
© Éditions Gallimard
Jeunesse.

● **insatiable** :
qui a toujours
faim.

● **des
coléoptères** :
des insectes.

● Crapaud est-il un animal
  agréable ? Pourquoi ?

● Que ressentirais-tu si tu touchais Crapaud ?
  et si tu le sentais ?

● Que mange-t-il ?

● Que lui arrive-t-il ?

● Pourquoi le monstre recrache-t-il Crapaud ?

● Pourquoi Crapaud sourit-il à la fin ?

Responsable de projets : Delphine DEVEAUX
Création de la maquette de couverture : Estelle CHANDELIER
Illustration de la couverture : Patrick CHENOT
Création de la maquette intérieure : Estelle CHANDELIER
Mise en pages : TYPO-VIRGULE
Fabrication : Nicolas SCHOTT
Recherche iconographique : Delphine DEVEAUX
Illustrations : • Patrick CHENOT (les histoires de Taoki et toutes les vignettes de la partie « Apprentissage du code »)
• Caroline MODESTE (*La Grosse Faim de P'tit Bonhomme*, p. 138)
• Claire FROSSARD (*Gruffalo*, pp. 140-141)
• Crescence BOUVAREL (*Une, deux, trois souris*, pp. 142-145)
• Christine ROUSSEY (*Renart et Chanteclair*, pp. 148-149)
• Anne-Sophie LANQUETIN (*Les Trois Grains de riz*, pp. 153-156)
• Benoît PERROUD (*Crapaud*, pp. 157-159)

Crédits photographiques
P. 136 : © Stéphanie Saïsse.
P. 137 : © Jean-François Noblet / Biosphoto.
P. 146 : Niki de Saint-Phalle, *Femme au chien*, Galerie Bonnier, 1986 © 2010 Niki Charitable Art Foundation / ADAGP, Paris © AKG-Images.
P. 147 : Niki de Saint-Phalle, *Trois Nanas : Caroline, Charlotte, Sophie*, Hanovre (Basse-Saxe, Allemagne), 1974 © 2010 Niki Charitable Art Foudation / ADAGP, Paris © Diter E. Hoppe / AKG-Images.

PAPIER À BASE DE FIBRES CERTIFIÉES

hachette s'engage pour l'environnement en réduisant l'empreinte carbone de ses livres. Celle de cet exemplaire est de :
600 g éq. CO$_2$
Rendez-vous sur www.hachette-durable.fr

Achevé d'imprimer en Italie par G. Canale - Dépôt légal : mars 2013 - Collection n°39 - Edition 07 - 11/6552/1

Mon abécédaire

a A a A
le sac

b B b B
le bol

c C c C
le canari

d D d D
le judo

e E e E
le melon

f F f F
le fil

g G g G
Hugo

h H h H
la hotte

i I i I
le livre

j J j J
le jus

k K k K
le kimono

l L l L
le lit

m M m M
la massue